D0683208

WITHDRAWN
Powys
37218 00502573 4

I Adrian ~ J.D.

I Anna ac Emily ~ L.M.

Cyhoeddwyd gan Rily Publications Ltd, Blwch Post 20, Hengoed CF82 7YR
Hawlfraint yr addasiad © 2014 Rily Publications Ltd
Addasiad Cymraeg gan Mererid Hopwood

ISBN 978-1-84967-183-5

Cyhoeddwyd yn wreiddiol yn Saesneg yn 2013 o dan y teitl *Sugarlump and the Unicorn*
gan Macmillan Children's Books, rhan o Macmillan Publishers Limited

Hawlfraint y testun © Julia Donaldson 2013
Hawlfraint y darluniau © Lydia Monks 2013

Gan mai stori ar ffurf mydr ac odl yw hon,
addasiad yn hytrach na chyfieithiad yw'r testun Cymraeg.
As this is a story with rhyming text, the Welsh text
is an adaptation rather than a translation.

Cedwir pob hawl. Ni chaniateir atgynhyrchu unrhyw ran o'r cyhoeddiad hwn
na'i gadw mewn cyfundrefn adferadwy na'i drosglwyddo mewn unrhyw ddull,
na thrwy unrhyw gyfrwng electronig, nac fel arall, heb ganiatâd ymlaen llaw gan y cyhoeddwyr.
Mae Julia Donaldson a Lydia Monks wedi datgan eu hawl yn unol â Deddf Hawlfraint,
Dyluniadau a Phatentau 1988 i gael eu cydnabod fel awdur ac arlunydd y llyfr hwn.

Dymuna'r cyhoeddwyr gydanabod cymorth Cyngor Llyfrau Cymru.

Argraffwyd yn China

www.rily.co.uk

Testun gan
Written by
Julia Donaldson

Lluniau gan
Illustrated by
Lydia Monks

Addasiad gan
Adapted by
Mererid Hopwood

Sugarlump and the Unicorn

Ceffyl pren hapus oedd Ji Ceffyl Bach,
Roedd e'n byw mewn stafell chwarae,
Ac yno bob dydd byddai'n cario'r plant
I fyd yr holl anturiaethau.

"Dewch drot-drot," meddai Ji Ceffyl Bach,
"Dewch drot-drot, dewch i bobman.
Dyma'r gêm orau o holl gemau'r byd –
Carlamu heb symud o'r unfan!"

Ond pan âi'r plantos i'r ysgol bob dydd,
Teimlai Ji Ceffyl Bach braidd yn unig.
"O, am gael mentro drot-drot go iawn
A gadael fy stafell am ychydig!"

Ac yna, yn sydyn, gwelodd Ji Ceffyl Bach
Ddwy lygad las yn disgleirio,
Ac ungorn caredig yn sibrwd mewn fflach,
"Fe gei dy ddymuniad, rwy'n addo!"

Cododd ei garnau ac ysgwyd ei fwng,
A throsi a throi am saith eiliad,
Ac yna, yn wir, aeth Ji Ceffyl Bach
I grwydro yn ôl ei ddymuniad.

Gadawodd ei stafell a gadael y plant
A mentro clip-clop drwy'r heolydd,
Gan dynnu'r gert liwgar a'i llond hi o wair,
A dringo i ben ucha'r mynydd.

"Dyma'r swydd orau o holl swyddi'r byd –
Cael clywed y defaid yn brefu,
A sŵn fy mhedolau'n dweud clipiti-clop,
Yn cyfeilio i'r adar a'u canu."

Ond O, roedd y gwair yn pwyso mor drwm,
A Ji Ceffyl Bach yn diflasu.
"O, am gael hoe fach o'r clipiti-clop
A mynd fel y gwynt a charlamu!"

Ac yna, yn sydyn, gwelodd Ji Ceffyl Bach
Ddwy lygad las yn disgleirio,
A'r ungorn caredig yn sibrwd mewn fflach,
"Fe gei dy ddymuniad, rwy'n addo!"

Gadawodd y defaid a'r adar a'u cân,
A charlamu ar wib i'r trac rasio.
Neidio dros berthi a chlirio pob clwyd,
A neb ond y gwynt yn mynd heibio.

"Dyma'r swydd orau o holl swyddi'r byd –
Cael clywed y gwynt yn fy nghlustiau,
A gwibio dros glwydi mewn un llam a naid
A dim yn gyflymach na minnau!"

Ond codwyd y clwydi yn uwch ac yn uwch,
Ac roedd Ji Ceffyl Bach yn diflasu.
"O, am gael dawnsio'n lle mynd fel y gwynt,
Ac O, am gael hoe ac arafu!"

Ac yna, yn sydyn, gwelodd Ji Ceffyl Bach
Ddwy lygad las yn disgleirio,
A'r ungorn caredig yn sibrwd mewn fflach,
"Fe gei dy ddymuniad, rwy'n addo!"

Gadawodd y rasio, pob clwyd a phob perth,
A mynd am y syrcas i ddawnsio.
Gwisgodd rubanau a sanau a phlu,
A sefyll ar gylch bach a phrancio.

"Dyma'r swydd orau o holl swyddi'r byd –
Mae'r babell yn union fel palas.
Caf glywed y dorf yn gweiddi 'hwrê!',
A finnau yn dawnsio mewn syrcas!"

Ond yna, wrth glywed y plantos i gyd,
Dechreuodd y ceffyl ddiflasu.
"O, am gael chwarae 'drot-drot' fel o'r blaen."
Roedd calon Ji Bach yn hiraethu.

Ac yna, yn sydyn, gwelodd Ji Ceffyl Bach
Ddwy lygad las yn disgleirio,
A'r ungorn caredig yn sibrwd mewn fflach,
"Fe gei dy ddymuniad, rwy'n addo!"

Ceffyl pren hapus oedd Ji Ceffyl Bach,
Ond nawr roedd e'n drist a phenisel.
"Ble'r oedd y plantos a'u chwerthin a'u sŵn –
A pham fod y stafell mor dawel?"

Mewn cornel o'r atig, roedd Ji Bach mor drist,
"O, am gael mynd a diflannu."

Ond ust!
Daeth i'w glust sŵn yr ungorn yn dweud,
"Mae gen i ddymuniad all helpu!"

Ac yna, yn sydyn, gwelodd Ji Ceffyl Bach
Ddwy lygad las yn disgleirio,
A'r ungorn caredig yn sibrwd mewn fflach,
"Fe gaf fy nymuniad, rwy'n addo!"

Aeth Ji Ceffyl Bach o'r tywyllwch a'r llwch
I fwrlwm y ffair, gan ymuno
Â'r meri-go-rownd a'i miwsig a'i gwên,
Ac yno hyd heddiw mae'n dawnsio.

"Dyma'r swydd orau o holl swyddi'r byd –
Cael hwylio i lawr ac i fyny
A chlywed y plantos yn chwerthin i gyd,
Does dim yn y byd gwell na hynny!"